Vocabula

세종
한국어

어휘·표현과 문법

3B

문화체육관광부
국립국어원

차례

1부
어휘와 표현_5
Vocabulary

•

2부
문법_25
Grammar

•

부록

1부

Vocabulary

어휘와 표현

01 어휘와 표현 VOCABULARY		할아버지, 할머니 이야기도 들어 드렸어요
한국어	ENGLISH	예문
봉사 활동을 하다	volunteer	도서관에서 봉사 활동을 한 적이 있어요.
배낭여행을 가다	go backpacking	한 달 동안 배낭여행을 갔어요.
어학연수를 하다	take a language course abroad	외국에서 어학연수를 했어요.
시간을 알차게 보내다	enjoy one's time, spend a fruitful time	방학 동안 시간을 알차게 보냈어요.
아르바이트를 하다	have a part-time job	지난 방학에 아르바이트를 했어요.
외국어 시험을 준비하다	prepare for a foreign language exam	외국어 시험을 준비하느라 바빠요.
자격증 시험을 준비하다	certification exam	요즘은 자격증 시험을 준비하는 사람들이 많아요.
인턴 활동을 하다	intern, do an internship	무역 회사에서 인턴 활동을 하려고 해요.
보람을 느끼다	feel rewarded	봉사 활동을 하면 보람을 느껴요.
잊지 못할 경험을 하다	have an unforgettable experience	한국에서 잊지 못할 경험을 했어요.

한국어	ENGLISH	예문
콘서트	concert	다음 주에 한강공원에서 콘서트가 있어요.
공연	performance	축제에서 할 공연 준비를 열심히 하고 있어요.
사인회	autograph session	공연이 끝나고 사인회가 있다고 해요.
팬 미팅	fan meeting	팬 미팅에 가면 배우를 가까이에서 볼 수 있어요.
표를 예매하다	buy tickets in advance	요즘은 인터넷으로 표를 예매해요.
표가 매진되다	tickets are sold out	그 공연은 인기가 많아서 이미 표가 매진됐어요.
팬클럽에 가입하다	join a fan club	이번에 콘서트를 본 다음에 팬클럽에 가입하려고요.
기념품을 구입하다	buy souvenirs	콘서트 장에 가면 기념품을 구입할 수 있어요.
단체 응원을 하다	cheer in groups	팬클럽 사람들과 단체 응원을 했어요.
커버 댄스를 추다	do a cover dance	공원에 가면 커버 댄스를 추는 사람들이 많아요
감동적이다	touching, moving	마지막에 다 같이 노래를 부르는데 너무 감동적이었어요.
인상적이다	impressive	그 배우의 연기는 정말 인상적이에요.
환상적이다	fantastic	특별히 무대에 신경을 많이 써서 그런지 공연이 정말 환상적이었어요.

03 어휘와 표현	VOCABULARY	매운 음식을 진짜 잘 먹는구나
한국어	ENGLISH	예문
시다	sour	레몬은 신 과일이에요.
달다	sweet	단 음식을 많이 먹으면 건강에 좋지 않아요.
쓰다	bitter	약은 입에 써요.
짜다	salty	소금을 많이 넣어서 음식이 짜요.
맵다	hot, spicy	저는 매운 음식을 잘 먹어요.
달콤하다	sweet	케이크처럼 달콤한 음식을 먹고 싶어요.
부드럽다	soft	저는 감기에 걸리면 죽처럼 부드러운 음식을 먹어요.
얼큰하다	spicy	한국에는 얼큰한 음식이 많아요.
속이 쓰리다	feel sick to one's stomach, have a stomachache	매운 음식을 많이 먹으면 속이 쓰려요.
싱겁다	plain, not salty	저는 다른 사람에 비해 싱겁게 먹어요.
입안이 얼얼하다	have a tingling mouth, mouth tingles	얼큰한 음식을 먹고 나면 입안이 얼얼해요.
담백하다	light, clean	아침에는 담백한 음식을 먹고 싶어요.
속이 편안하다	feel comfortable	부드러운 음식을 먹으면 속이 편안해요.
바삭하다	crispy	튀김은 바삭하면 더 맛있어요.

한국어	ENGLISH	예문
냄비	pot	라면을 끓이려면 냄비가 필요해요.
프라이팬	frying pan	채소를 프라이팬에 넣고 볶았어요.
전기밥솥	electric rice cooker	전기밥솥이 있으면 밥을 하기가 편리해요.
칼	knife	칼로 파를 썰었어요.
도마	cutting board	도마는 사용한 후에 깨끗이 씻어야 해요.
그릇	bowl	요리를 한 후에 그릇에다가 예쁘게 담았어요.
접시	plate, dish	접시가 깨지지 않도록 조심하세요.
주걱	spatula	주걱으로 밥을 푸면 됩니다.
국자	dipper, scoop	국자로 국을 저어 주세요.
가스레인지	gas stove	가스레인지를 쓰고 나면 꼭 가스를 잠가 주세요.
전자레인지	microwave	밥을 전자레인지에 데워 먹을 거예요.
과일을 깎다	cut fruits	내 동생은 과일을 꼭 깎아 먹어요.
달걀을 삶다	boil eggs	매일 아침에 달걀을 삶아서 먹어요.
껍질을 벗기다	peel	바나나는 껍질을 벗기기가 쉬워요.
채소를 볶다	fry vegetables	채소를 오래 볶으면 맛이 없어요.
채를 썰다	chop	채소는 채를 썰어 주세요.
감자를 튀기다	fry potatoes	감자를 튀겨서 먹으면 맛있어요.
마늘을 다지다	mince garlic	마늘을 다져서 넣으면 국물이 더 맛있을 거예요.
생선을 굽다	grill fish	오늘 저녁에는 생선을 구워서 먹었어요.
만두를 찌다	steam dumplings	만두를 쪄서 먹는 것을 좋아해요.
차리다	prepare food	친구들이 많이 와서 음식을 차렸어요.

한국어	ENGLISH	예문
잊어버리다 / 깜빡하다	forget	너무 바빠서 약속 시간을 잊어버렸어요.
잃어버리다	lose	버스에서 우산을 잃어버린 것 같아요.
놓고/두고 오다	leave	집에 핸드폰을 놓고 왔어요.
넘어지다	fall down	계단에서 넘어져서 다리를 다쳤어요.
부딪히다	bump	앞에 오는 사람과 부딪혀서 커피를 다 쏟았어요.
놓치다	miss (the bus)	늦게 일어나서 버스를 놓쳤어요.
떨어뜨리다	drop	책상에 부딪힐 때 컵을 떨어뜨렸어요.
깨뜨리다	break	설거지를 하면서 그릇을 깨뜨렸어요.
망가뜨리다	break	친구에게 빌린 카메라를 망가뜨려서 걱정이에요.
늦잠을 자다	wake up late	늦잠을 자서 시험에 늦었어요.
지각하다	be late	오늘은 시험이라서 지각하면 안 돼요.
딴생각을 하다	be lost in a daydream, have one's mind in the clouds	수업 시간에 딴생각을 해서 선생님께 혼났어요.
한눈팔다	look away	길을 건널 때 한눈팔면 위험해요.
신제품	new product	신제품 핸드폰을 사고 싶어요.
용돈	pocket money, allowance	지난주에 용돈을 받았는데 다 썼어요.
잠이 들다	fall asleep	숙제를 해야 하는데 피곤해서 잠이 들었어요.
상하다	damaged	머리가 많이 상해서 짧게 잘랐어요.
생활비	living expense	쇼핑을 너무 많이 해서 생활비를 다 썼어요.

당분간	for the time being, for a while	당분간 쇼핑을 하지 못할 거예요.
날아가다	fly away	바람이 불어서 종이가 날아갔어요.
비밀	secret	이 이야기는 너하고 나만 아는 비밀이야.
돌아오다	come back	고향에 갔는데 일주일 후에 돌아왔어요.
다행히	fortunately, luckily	늦잠을 잤는데 다행히 늦지 않았어요.
금방	right away	밥을 먹었는데 금방 배가 고파요.
전화기	phone	전화기를 가방에 넣었는데 없어졌어요.
꺼지다	power goes off	전원이 꺼졌는데 다시 켤 수 없어요.
충전하다	charge	배터리가 없어서 충전했어요.
심하다	severely	회의 자료를 준비하지 못해서 심하게 혼났어요.
최악	the worst	오늘은 실수가 많은 최악의 날이에요.
공포 영화	horror movie	무섭지만 공포 영화 보는 것을 좋아해요.
머리를 감다	wash one's hair	아침에 일어나서 바로 머리를 감았어요.
그치다	stop	우산이 없어서 비가 그치면 갈 거예요.
꺼내다	take out	문법 책을 꺼내세요.
장난을 치다	play pranks on	동생은 저한테 장난을 치는 것을 좋아해요.
빨개지다	become red; turn red	실수를 해서 얼굴이 빨개졌어요.
결국	finally; at last	결국 친구에게 화를 냈어요.
어머!	Oh my god!	어머! 유진 씨가 안나 씨의 친구였어요?

한국어	ENGLISH	예문
말실수하다	make a mistake in speaking to someone	친구에게 말실수해서 친구가 화가 많이 났어요.
오해하다	misunderstand	한국어를 잘 못해서 오해한 적이 많아요.
후회하다	regret	친구에게 화를 내고 후회했어요.
변명하다	make an excuse	변명하지 말고 사실을 이야기하세요.
사과하다	apologize	실수를 하면 바로 사과하는 게 좋아요.
용서하다	forgive	선생님께서 제 잘못을 용서해 주셨어요.
화해하다	reconcile with	친구에게 사과를 하고 화해했어요.
오해를 풀다	clear up the misunderstanding	사실을 말하고 친구와 오해를 풀었어요.
미안해요	sorry	오늘 늦어서 미안해요.
죄송합니다	sorry	시간을 못 지켜서 죄송합니다.
괜찮아요	it's okay, it's all right	저도 실수하는데요, 뭘. 괜찮아요.
사과 드리겠습니다	apologize	어제 회의에서 실수한 것, 사과 드리겠습니다.
그럴 수도 있죠	it could happen	바쁘면 그럴 수도 있죠. 괜찮아요.
불편을 드려 죄송합니다	sorry for the inconvenience	제 실수로 불편을 드려 정말 죄송합니다.
신경 쓰지 마세요	don't worry about it	일이 많아서 그런 건데 신경 쓰지 마세요.
대단히 죄송합니다	very sorry	오래 기다리게 해서 대단히 죄송합니다.
일부러 그런 것도 아닌데요, 뭘	you didn't do that on purpose	일부러 늦게 온 것도 아닌데요, 뭘.

실례가 많았습니다	caused much incovenience	잘 모르는 것이 많아서 여러 가지로 실례가 많았습니다.
실수한 건데요, 뭘	it's just a mistake	아이가 실수한 건데요, 뭘.
앞으로 주의하겠습니다	will be careful from now on	회의 시간에 늦어 죄송합니다. 앞으로 주의하겠습니다.
싸우다	fight	어릴 때는 형하고 많이 싸웠어요.
예전	in the past	예전에는 고향에 높은 건물이 없었어요.
참다	endure, stand	화가 나지만 참았어요.
높임말	honorific word	한국어를 공부할 때 높임말이 조금 어려웠어요.
미루다	postpone	급한 일이 있어서 회의를 한 시간 미루기로 했어요.
아끼다	save	생활비를 거의 다 써서 아껴야 해요.
말다툼	argument	같이 사는 친구와 자주 말다툼을 해요.
어려워하다	have a hard time -ing	새로운 일을 시작하는 것을 어려워해요.
용기	courage	힘들고 어려운 일이었지만 용기를 내서 했어요.
절반	half	이 일의 절반은 동료들의 도움으로 한 것이에요.
성공	success	열심히 노력하면 꼭 성공할 수 있을 거예요.
정확	precise, clear	말을 할 때 정확하게 하는 것이 중요해요.
해결하다	solve	일을 해결하려면 사실을 말해야 해요.
관계	relationship	친구들과의 관계가 좋은 편이에요.
입이 가볍다	be a big mouth	입이 가벼운 사람에게는 비밀을 말하면 안 됩니다.

한국어	ENGLISH	예문
동호회/동아리/소모임	club	친구들과 테니스 동호회를 만들었어요.
마라톤	marathon	마라톤을 하는 것이 취미예요.
자전거	bicycle	자전거 동호회 활동을 하고 있어요.
스키	ski	스키를 타러 자주 가요.
와인	wine	친구들과 모여서 와인을 마시러 가요.
커피	coffee	커피를 자주 마셔요.
맛집 탐방	restaurant tour for delicious food	맛있는 음식을 먹으러 맛집 탐방을 다녀요.
캠핑	camping	주말마다 캠핑을 가요.
자동차	car	자동차 동호회에서 여러 정보를 얻을 수 있어요.
낚시	fishing	동호회 사람들과 모여서 낚시를 하러 가요.
동호회를 만들다	form a club	기타 연주 동호회를 만들었어요.
회원을 모집하다	recruit club members	동호회 회원을 모집하는 중이에요.
회비를 내다	pay a membership fee	동호회 활동을 하려면 회비를 내야 해요.
동호회에 가입하다	join a club	축구 동호회에 가입하고 싶어요.
동호회에 나가다	go to a club	주말마다 동호회에 나가고 있어요.
모임을 하다	have a meeting, have a gathering	이번 주말에 동아리 모임을 할 거예요.
정보를 공유하다	share information	소모임에서 여러 정보를 공유해요.
인맥을 쌓다	build up personal connections	동호회에 나가면서 인맥을 쌓을 수 있었어요.
친목을 다지다	build up friendship	동아리 사람들과 친목을 다지는 모임을 자주 해요.

한국어	ENGLISH	예문
관광지	tourist attractions	유명한 관광지에는 사람들이 많아요.
휴양지	recreation area	휴양지에서 조용히 쉬고 싶어요.
유적지	historic site	유적지에는 볼거리가 많아요.
호텔	hotel	호텔을 예약했어요.
펜션	rental cottage	휴가 때 펜션에 가려고 해요.
리조트	resort	리조트 안에 여러 가지 시설이 많아요.
게스트 하우스	guest house	게스트 하우스는 가격이 저렴한 편이에요.
재충전을 하다	refresh	휴가에는 재충전을 하고 싶어요.
밀린 일을 처리하다	deal with the backlog	밀린 일을 처리하느라 쉴 수 없었어요.
여유를 즐기다	relax	호텔에서 쉬면서 여유를 즐겼어요.
볼거리가 많다	there are many things to see	경주는 볼거리가 많아서 유명해요.
물가가 저렴하다	it's cheap, cost is low	물가가 저렴해서 인기가 많은 여행지예요.
자연 경관이 뛰어나다	have excellent natural scenery	제주도는 자연 경관이 뛰어나요.
관광지를 둘러보다	look around tourist attractions	내일은 관광지를 둘러볼 거예요.
기념품을 사다	buy souvenirs	남산에 가서 기념품을 샀어요.
현지 문화를 체험하다	experience local culture	저는 외국에 가서 현지 문화를 체험하는 것을 좋아해요.

09 어휘와 표현	VOCABULARY	두 사람이 많이 부러운 모양이에요
한국어	ENGLISH	예문
연애하다	date	남자 친구와 연애한 지 10년이 되었어요.
선을 보다	meet someone with a view to marriage	친구의 소개로 선을 봤어요.
청혼하다	make a marriage proposal	여자 친구에게 청혼할 때 줄 반지를 사러 왔어요.
결혼하다	marry	저는 30대에 결혼하고 싶어요.
청첩장	wedding invitation	친구에게 청첩장을 받았어요.
결혼식	wedding ceremony	결혼식은 야외에서 하고 싶어요.
결혼식장	wedding hall	결혼식장을 꽃으로 장식해서 정말 예뻤어요.
신랑	groom	결혼식을 할 때 신랑이 계속 웃고 있었어요.
신부	bride	신부가 입은 드레스가 정말 아름다워요.
전통 혼례	traditional wedding	요즘 전통 혼례를 하는 사람이 많아지고 있어요.
축의금	congratulatory money	축의금은 10만 원을 내려고요.
주례	officiator at a wedding	주례는 고등학교 선생님께서 해 주시기로 했어요.
신랑 신부 입장	the bride and groom enter together	신랑 신부가 같이 입장을 해요.
주례사	officiating speech	주례사를 듣는데 제가 눈물이 났어요.
혼인 서약서 낭독	marriage pledge, marriage vows	신랑 신부가 혼인 서약서 낭독을 하고 있어요.
축가	congratulatory song	신부의 친구들이 축가를 준비했어요.

60

신랑 신부 행진	bride and groom march	신랑 신부 행진을 할 때 모두 크게 박수를 쳤어요.
폐백을 드리다	pyebaek; traditional ceremony to pay respect to the groom's family by the newly-wedded couple right after their wedding	부모님께 폐백을 드리니 밤과 대추를 많이 던져 주셨어요.
피로연	wedding reception	피로연은 결혼식장 근처 식당에서 할 거예요.
신혼여행	honeymoon	신혼여행은 제주도로 가기로 했어요.
식순	order of a ceremony	오늘 행사의 식순은 어디에서 볼 수 있어요?
사회를 맡다	be an MC(master of ceremony) at a wedding, host a wedding	제가 친구의 결혼식 사회를 맡게 되었어요.
대회	contest	이번 말하기 대회에 나가요?
상을 받다	win a prize	테니스 대회에서 상을 받은 적이 있어요.
화가 풀리다	one's anger is relieved, one's anger disappers	동생이 사과를 해서 화가 다 풀렸어요.
활짝	brightly	활짝 웃는 부모님의 모습을 보니까 기쁩니다.
따님	daughter	선생님의 따님을 만났는데 정말 귀여웠어요.
팬	fan	저는 가수 유새이의 팬이에요.
낯설다	unfamiliar	머리를 자른 친구의 모습이 낯설어요.
대부분	most of	오늘 행사에 온 사람들 대부분이 외국인이에요.
하객	guests	하객 여러분, 모두 자리에 앉아 주세요.
웨딩 홀	wedding hall	요즘은 웨딩 홀에서 결혼하는 사람이 줄었어요.
종교 시설	religious facility	교회나 절과 같은 종교 시설에서 결혼식을 해요.
하우스 웨딩	house wedding	집에서 하우스 웨딩을 하고 싶어요.
공공시설	public facility	공공시설을 이용할 때 규칙을 꼭 지켜야 해요.

예산	budget	이번 대회의 예산이 얼마입니까?
커플	couple	나와 남자 친구는 똑같은 커플 옷을 자주 입어요.
신혼 살림	newlywed life	결혼할 친구의 신혼 살림에 필요한 물건을 선물했어요.
장가가다	(male) get married	저 올해 장가갑니다.
시집가다	(female) get married	언니가 드디어 시집가요.

한국어	ENGLISH	예문
설날	Seollal; New Year's Day	1월 1일은 설날이에요.
추석	Chuseok; a major mid-autumn harvest festival	추석은 음력 8월 15일이에요.
정월 대보름	Jeongwol Daeboleum; the 15th day of the New Year	정월 대보름에는 밝고 아름다운 달을 꼭 봐야 해요.
차례를 지내다	have a memorial ceremony for ancestors	명절 아침에 가족들이 모여 차례를 지내요.
떡국을 먹다	eat tteokguk; sliced rice-cake soup	떡국을 먹어야 한 살을 더 먹는 거예요.
송편을 먹다	eat songpyeon; half-moon rice cake	색깔이 예쁜 송편을 먹었는데 정말 맛있었어요.
오곡밥을 먹다	eat ogokbap; steamed five-grain rice	다섯 가지 곡식으로 만든 오곡밥을 먹었어요.
부럼 깨물기	bite on a nut to ward off boils	땅콩으로 부럼 깨물기를 했어요.
세배를 하다	bow politely for the new year	설날 아침에 어른들께 세배를 해요.
세배를 드리다	bow politely for the new year	할아버지, 할머니께 세배를 드렸어요.

세뱃돈을 주다	give New Year's cash gift	부모님께서 세뱃돈을 주셨어요.
세뱃돈을 받다	receive New Year's cash gift	세뱃돈을 받으면 뭐 할 거예요?
덕담을 하다	give words of wisdom, give pep talks	부모님께서 새해 덕담을 해 주셨어요.
달맞이를 하다	greet the moon	크고 밝은 달을 보면서 달맞이를 했어요.
소원을 빌다	make a wish	달을 보면서 무슨 소원을 빌었어요?
윷놀이를 하다	play yunnori; a traditional board game played in Korea, especially during Korean New Year	설날 저녁에는 가족이 모두 모여 윷놀이를 해요.
씨름을 하다	have a wrestling bout	예전에는 명절에 씨름을 했는데 요즘은 잘 하지 않아요.
새해 복 많이 받으세요	Happy New Year	할아버지, 할머니, 새해 복 많이 받으세요.
풍성한 한가위 보내세요	Have a great Chuseok	모두 풍성한 한가위 보내세요.
명절	holiday	설날과 추석은 한국의 대표적인 명절입니다.
무섭다	scared	무섭지만 공포 영화를 좋아해요.
합격하다	pass the exam	열심히 공부해서 한국어능력시험에 꼭 합격할 거예요.
결과	result	시험 결과를 확인했는데 합격이었어요.
첫날	first day	여행 첫날은 비가 와서 조금 힘들었어요.
신청하다	apply	한국 요리 수업에 신청하려고 해요.
두통약	headache pill	머리가 아파서 약국에서 두통약을 샀어요.
신경을 쓰다	care about, pay attention	요즘 건강이 안 좋아서 음식에 신경을 많이 쓰고 있어요.

실력이 늘다	one's skills improve	매일 드라마를 보니까 한국어 실력이 는 것 같아요.
건강해지다	become healthy	몸에 좋은 음식을 먹어야 건강해지지요.
한과	hangwa; traditional Korean snack	한국의 전통 과자인 한과를 처음 먹어 봤어요.
그릇	bowl	맛있어서 밥을 두 그릇이나 먹었어요.
배가 부르다	full	배가 불러서 더 못 먹겠어요.
솜씨	skill	우리 어머니는 음식 솜씨가 정말 좋으세요.
댁	house	설날에 선생님 댁에 세배를 드리러 갔어요.
대표적	representative	한국의 대표적인 명절을 알고 있어요?
기념품	souvenirs	유학생 축제에서 지갑을 기념품으로 받았어요.
고유	traditional	정월 대보름은 한국 고유의 명절이에요.
맞이하다	celebrate	즐거운 추석을 맞이하여 여러 가지 행사를 해요.
풍습	custom	설날에 떡국을 먹는 것은 한국의 풍습이에요.
진행하다	host	마리 씨가 말하기 대회를 진행했어요.
강의실	classroom	한국 문화 수업 강의실이 어디예요?
무료	free	문화 체험은 모두 무료니까 꼭 오세요.
널뛰기	neolttugi; traditional Korean jumping game	널뛰기는 두 사람이 같이 하는 놀이예요.
연날리기	kiteflying	안나 씨의 나라에서도 연날리기를 해요?
투호	tuho; traditional Korean arrows-throwing game	투호를 처음 했는데 조금 어려웠어요.
선착순	first come, first served	이번 체험은 선착순 50명까지입니다.
당일	on the day	여행 당일에는 취소를 할 수 없습니다.

11 어휘와 표현	VOCABULARY	자격증이나 외국어 공부도 미리 해 두면 좋을 거야
한국어	ENGLISH	예문
신입 사원	new employee	자동차 회사에서 신입 사원을 뽑는다고 해서 지원했어요.
경력 사원	experienced employee	요즘 경력 사원을 뽑는 회사가 많아지고 있어요.
직장 상사	boss	직장 상사와 이야기할 때 아직 긴장을 많이 해요.
직장 동료	co-worker	회사 생활에서 직장 동료와 잘 지내는 것이 중요해요.
적성에 맞다	suit one's aptitude	적성에 맞는 일을 찾는 것이 쉽지 않아요.
이력서를 쓰다	write one's resume	회사에 지원하려면 이력서가 필요해요.
자기 소개서를 쓰다	write a letter of self-introduction	대학원에 입학하기 위해 자기 소개서를 썼어요.
입사 지원서를 내다	submit an application	내일까지 입사 지원서를 내야 해요.
면접을 보다	have a job interview	면접을 보고 나서 합격 발표를 기다리고 있어요.
입사하다	get a job at a company	드디어 원하는 회사에 입사하게 되었어요.
승진하다	get promoted	승진하려면 2년은 있어야 해요.
복지가 좋다	offer good benefits	복지가 좋은 회사에서 일하고 싶어요.
연봉이 높다	have a high salary	많은 사람들이 연봉이 높은 회사에 들어가고 싶어 해요.
인턴십을 하다	intern, do an internship	인턴십을 하면 취업에 도움이 돼요.
자격증을 따다	get a certificate	취업을 준비하는 동안 외국어 자격증을 땄어요.
경력을 쌓다	build up one's career	저는 경력을 쌓기 위해 방학 동안 인턴십을 하려고 해요.

12 어휘와 표현	VOCABULARY	한국으로 유학을 가려고 준비하는 중이에요
한국어	ENGLISH	예문
유학을 계획하다	plan to study abroad	한국으로 유학을 계획하고 있어요.
대학원에 등록하다	enroll in graduate school	좀 더 공부하고 싶어서 대학원에 등록했어요.
집을 구하다	look for a house	집을 구하려면 어디에 물어보면 되지요?
유학원을 알아보다	look for an agency for studying abroad	혼자서 준비하지 말고 유학원을 알아보는 게 어때요?
비자 면접을 보다	have a visa interview	비자 면접을 봐야하는데 연습하는 거 좀 도와주세요.
등록금을 내다	pay one's tuition	등록금을 내려고 돈을 모으고 있어요.
유학 사이트를 검색하다	search the study abroad site	유학 사이트를 검색해 보면 대학교 정보가 잘 나와 있어요.
비자를 발급받다	get a visa	드디어 비자를 발급받았어요.
생활비를 벌다	earn a living	학교 안에서 아르바이트를 해서 생활비를 벌고 있어요.
재학 증명서를 떼다	get one's certificate of enrollment	재학 증명서를 떼려면 어디에서 신청해야 하죠?
서류를 떼다	get one's document	대학 입학에 필요한 서류를 떼러 가야 해요.
서류를 제출하다	submit a document	유학에 필요한 서류를 제출하고 이제 결과를 기다리고 있어요.
학비를 지원받다	get financial aid for tuition	나라에서 학비를 지원받을 수 있어서 다행이에요.

2부

Grammar

문법

-아도 / 어도

의미 MEANING

앞에서 말하는 사실이나 가정에 대한 기대가 어긋남을 나타낼 때 사용한다.

'-아도/어도' is used to express that a fact or an assumption in the first clause is contrary to the expectation.

형태 FORM

끝음절 모음이 'ㅏ, ㅗ'인 동사, 형용사는 '-아도', 그 외의 모음의 동사, 형용사는 '-어도'를 쓴다. '-아도/어도'는 '아무리'와 함께 사용하는 경우도 많다. 명사는 '(이)라도'를 사용해서 말한다.

'-아도' is used when the final vowel of a verb stem or an adjective stem includes 'ㅏ' or 'ㅗ,' otherwise '-어도' is used. '-아도/어도' is often used with '아무리.' '(이)라도' is used with a noun.

예문 EXAMPLE

- 아무리 피곤**해도** 매일 아침 7시에 일어난다.
- 아무리 찾**아도** 지갑이 보이지 않아요.
- 아무리 더**워도** 자전거를 타러 갈 거예요.
- 아무리 공부**해도** 한국어 실력이 좋아지지 않는 것 같아요.
- 아무리 비싸**도** 이 핸드폰 기능이 좋아서 인기가 많은 것 같아요.
- 아무리 시간이 없**어도** 매일 운동을 하려고 해요.
- 아무리 피곤**해도** 세수를 하고 자요.
- 고등학생**이라도** 봉사 활동에 참여할 수 있어요.

활용 PRACTICE

가 : 외국어 자격증이 없어도 인턴 활동을 할 수 있을까?

나 : 자격증이 없어도 되는 회사를 한번 찾아봐.

가 : 오늘도 떡볶이를 먹네요.

나 : 이상하게 떡볶이는 매일 먹어도 질리지 않아요.

-아 / 어 드리다

의미 MEANING

다른 사람에게 도움이 되는 어떤 행위를 함을 나타낼 때 사용한다. '-아/어 드리다'는 '-아/어 주다'의 높임 표현이다.

'-아/어 드리다' is used to express that a person behaves in a way that is helpful to someone else. '-아/어 드리다' is the honorific equivalent of '-아/어 주다.'

형태 FORM

끝음절 모음이 'ㅏ, ㅗ'인 동사는 '-아 드리다', 그 외의 모음의 동사는 '-어 드리다'를 쓴다. 조사로 '께'와 '에게'를 함께 사용할 수 있다.

'-아 드리다' is used when the final vowel of a verb stem includes 'ㅏ' or 'ㅗ,' otherwise '-어 드리다' is used. The postpositional particles '께' or '에게' can be used in this expression.

예문 EXAMPLE

- 할아버지께 목도리를 만들**어 드렸다**.
- 버스에서 할머니가 떨어뜨리신 지갑을 **주워 드렸어요**.
- 할머니, 할아버지께 노래를 불러 **드렸어요**.
- 시청에 가는 방법을 물어봐서 알려 **드렸어요**.
- 우리가 가서 할아버지를 도와드**려야겠어요**.
- 제가 사진을 찍**어 드릴까요**?
- 부장님께 이메일을 보내 **드렸어요**.
- 친구에게 음식을 만들**어 줬어요**.

활용 PRACTICE

가 : 어머니께 생신 선물을 사 드리려고 하는데 뭐가 좋을까?

나 : 요즘 날씨가 더우니까 모자는 어때?

가 : 주노 씨, 회의 자료 좀 메일로 보내 주세요.

나 : 네. 지금 보내 드릴게요.

-(으)ㄹ까 봐

의미 MEANING

어떤 상황을 추측하면서 걱정이 되거나 두려울 때 사용한다.

'-(으)ㄹ까 봐' is used to express concern or fear in an assumed situation.

형태 FORM

받침이 있는 동사는 '-을까 봐', 받침이 없는 동사는 '-ㄹ까 봐'를 쓴다. '-(으)ㄹ까 봐' 뒤에 '서'를 붙여서 쓸 수도 있다.

'-을까 봐' is used when a verb stem ends with a consonant, and '-ㄹ까 봐' when a verb stem ends with a vowel. '서' can attach to the end of '-(으)ㄹ까 봐.'

예문 EXAMPLE

- 말하기 대회에서 실수**할까 봐** 너무 걱정이 된다.
- 예매를 못 **할까 봐** 걱정했는데 다행히 예매했어요.
- 중요한 약속이 있는데 늦**을까 봐** 불안해서요.
- 옷 사이즈가 **클까 봐** 걱정했는데 생각보다 잘 맞네요.
- 수업 시간에 **졸까 봐** 걱정이 되어서 커피를 마셔요.
- 친구를 못 만**날까** 봐 걱정이에요.
- 늦잠을 자서 회사에 지각**할까 봐** 걱정이에요.
- 긴장을 해서 발표를 잘하지 못**할까 봐** 걱정이에요.
- 집이 좁아서 불편**할까 봐** 걱정이에요.
- 물건을 잃어버**릴까 봐** 걱정이에요.

활용 PRACTICE

가 : 약속 시간보다 일찍 왔네요. 차가 안 막혔어요?
나 : 차가 많이 막힐까 봐 일찍 출발했어요.

가 : 마리 씨가 급하게 가던데 무슨 일 있어요?
나 : 콘서트에 늦을까 봐 서둘러 간 것 같아요.

-(으)ㄹ 텐데

의미 MEANING

말하는 사람이 추측하면서 그와 관련된 내용을 이어 말할 때 사용한다.

'-(으)ㄹ 텐데' is used when a person continues to talk about something related to his / her assumption.

형태 FORM

받침이 있는 동사, 형용사는 '-을 텐데', 받침이 없는 동사, 형용사는 '-ㄹ 텐데'를 쓴다.

'-을 텐데' is used when a verb stem or an adjective stem ends with a consonant, and '-ㄹ 텐데' when a verb stem or an adjective stem ends with a vowel.

예문 EXAMPLE

- 혼자서 공부하기 어려웠**을 텐데** 어떻게 공부했어요?
- 그 콘서트 티켓을 예매하기 쉽지 않았**을 텐데** 어떻게 구했어요?
- 주말이라 사람이 많**을 텐데** 식당에 자리가 있을지 모르겠어요.
- 마리 씨가 매운 음식을 못 먹**을 텐데** 괜찮을까요?
- 차 한 대로 가기에 자리가 좁**을 텐데** 괜찮을까요?
- 요즘 일이 많아서 바쁘**ㄹ 텐데** 이렇게 와 주셔서 고마워요.
- 손님들이 많아 음식이 부족**할 텐데** 어떻게 하지요?

활용 PRACTICE

가 : 오후에 비가 많이 올 텐데 우산을 가지고 가세요.
나 : 그래요? 고마워요.

가 : 준호 씨, 이번 시험에 꼭 합격하면 좋겠어요.
나 : 고마워요, 미나 씨. 그러면 정말 좋을 텐데 말이에요.

-거든요

의미 — MEANING

어떤 이유나 사실을 당연한 듯이 말할 때 사용한다.

'-거든요' is used when a person takes a particular reason or a fact for granted.

형태 FORM

동사, 형용사 뒤에 쓴다. 이밖에 이유를 나타내는 표현으로 '-잖아요'가 있다. 말하는 사람만이 아는 이유를 말할 때에는 '-거든요'를 사용하고, 말하는 사람과 듣는 사람 모두 아는 이유를 말할 때에는 '-잖아요'를 사용한다.

'-거든요' is combined with a verb or an adjective. '-잖아요' is another expression for stating reasons. '-거든요' is used when only the speaker knows the reason, and '-잖아요' is used when both the speaker and the listener know the reason.

예문 EXAMPLE

- 이 식당에는 항상 손님이 많아요. 음식이 맛있고 값도 싸**거든요**.
- 약속을 다음 주로 연기해도 될까요? 급히 해야 할 일이 생겼**거든요**.
- 어제 밤늦게까지 일을 해서 잠을 많이 못 잤**거든요**.
- 한국 사람인데 김치를 안 먹어요. 매운 음식을 못 먹**거든요**.
- 한국어 말하기 실력이 많이 좋아졌지요? 그동안 열심히 공부했**거든요**.
- 한국어를 열심히 공부할 거예요. 내년에 한국으로 여행을 가고 싶**거든요**.

활용 PRACTICE

가 : 점심시간인데 밥 먹으러 안 갈래?

나 : 나는 좀 이따 가려고. 사실은 아까 간식을 좀 먹었거든.

가 : 오늘도 도서관에 가요?

나 : 네. 다음 주에 중요한 시험이 있거든요.

-는구나 / 구나

의미 MEANING

말하는 사람이 새로운 사실을 보거나 들은 것을 주목할 때 사용한다. 말하는 사람이 혼자 말하거나 아랫사람이나 친한 친구에게 말할 때 사용한다.

'-는구나/구나' is used when a person pays attention to what he / she has seen or heard recently. It is used when a person talks to himself / herself, a younger person, or a close friend.

형태 FORM

동사는 '-는구나', 형용사는 '-구나'를 쓴다.

'-는구나' is combined with a verb, and '-구나' is combined with an adjective.

예문 EXAMPLE

- 너는 요리를 정말 잘하**는구나**.
- 가을이라서 그런지 하늘이 정말 파랗**구나**.
- 넌 단 음식을 정말 좋아하**는구나**.
- 꽃이랑 나무가 정말 예쁘**구나**.
- 이 라면 생각보다 정말 맵**구나**.
- 너는 정말 일찍 자**는구나**.
- 너는 커피를 정말 좋아하**는구나**.
- 집이 진짜 가깝**구나**.
- 오늘 날씨가 정말 좋**구나**.
- 장학금을 받았다면서? 정말 열심히 공부했**구나**.

활용 PRACTICE

가 : 이 불고기 어때? 내가 만든 거야.
나 : 맛있어. 너는 요리를 정말 잘하는구나.

가 : 다음 달에 한국으로 돌아가.
나 : 와, 벌써? 시간이 정말 빠르구나.

-아/어 놓다

의미 MEANING

어떤 행위가 완료된 뒤 변하지 않고 그대로 유지될 때 사용한다.

'-아/어 놓다' is used when a particular behavior has been done and then it is kept without any change.

형태 FORM

끝음절 모음이 'ㅏ, ㅗ'인 동사는 '-아 놓다', 그 외의 모음의 동사는 '-어 놓다'를 쓴다.

When the final vowel of a verb stem includes 'ㅏ,' or 'ㅗ,' '-아 놓다' is used, otherwise '-어 놓다' is used.

04

예문 EXAMPLE

· 요리를 하려고 재료를 **사 놓았다**.
· 내가 벌써 예약**해 놓았거든**.
· 식탁 위에 점심을 차**려 놓았으니까** 먹으면 돼.
· 내가 먼저 영화표를 예매**해 놓았어요**.
· 창문을 열**어 놓고** 나와서 잠시 집에 다녀오려고요.
· 많이 만들**어 놓았으니까** 갈 때 좀 가져가세요.
· 냉장고에 넣**어 놓았으니까** 꺼내 드세요.
· 도서관에서 책을 빌**려 놓았으니까** 읽으세요.
· 친구들을 집에 초대해서 청소**해 놓아야 해요**.

활용 PRACTICE

가 : 이 불고기 정말 맛있네요. 맵지도 않고 내 입에 딱 맞아요.
나 : 그래요? 많이 만들어 놓았으니까 갈 때 좀 가져가세요.

가 : 그 식당은 유명해서 이 시간에는 밥 먹기 쉽지 않을 거야.
나 : 걱정하지 마. 내가 벌써 예약해 놓았거든.

-(으)ㄴ 다음에

의미　MEANING

어떤 행위를 먼저 한 후에 뒤의 행위를 함을 나타낼 때 사용한다.

'-(으)ㄴ 다음에' is used to express that a person behaves in a certain way even after recognizing his / her particular behavior.

형태　FORM

받침이 있는 동사는 '-은 다음에', 받침이 없는 동사는 '-ㄴ 다음에'를 쓴다. 일의 순서를 나타내는 표현으로 '-고 나서', '-(으)ㄴ 후에'도 있다.

'-은 다음에' is used when a verb stem ends with a consonant, and '-ㄴ 다음에' when a verb stem ends with a vowel. There are other expressions such as '-고 나서' or '-(으)ㄴ 후에' to express the order of things.

예문　EXAMPLE

- 먼저 부모님과 의논한 다음에 말씀 드리겠습니다.
- 7시에 일어나서 샤워한 다음에 아침을 먹었다.
- 아침을 먹은 다음에 집에서 영화를 봤다.
- 점심을 먹은 다음에 친구를 만나러 나갔다.
- 청소한 다음에 빨래할 거예요.
- 친구를 만나서 점심을 먹은 다음에 집으로 돌아왔다.
- 농구를 한 다음에 저녁을 먹었다.
- 시험을 본 다음에 영화를 보러 갔다.
- 점심을 먹은 다음에는 항상 커피를 마셔요.
- 숙제한 다음에 친구와 통화했어요.

활용　PRACTICE

가 : 이제 고기를 프라이팬에 볶을까?
나 : 그건 친구들이 온 다음에 볶으면 될 거 같아.

가 : 안나 씨 소식 들었어요? 내년에 한국으로 유학을 간다고 해요.
나 : 그래요? 대학교를 졸업한 다음에 바로 가나 봐요.

-자마자

의미　MEANING

어떤 상황이 일어나고 바로 이어서 또 다른 상황이 일어남을 나타낸다.

'-자마자' is used to express that the following behavior has happened right after the preceding one.

형태　FORM

동사 뒤에 쓴다. 형용사 뒤에 '-아지다/어지다'가 결합해 동사가 되면 '-자마자'와 함께 쓸 수 있다.

'-자마자' is combined with a verb. When '-아지다/어지다' is combined with an adjective and forms a verb, it can be used with '-자마자.'

예문　EXAMPLE

- 밖에 나오**자마자** 비가 왔어요.
- 수업이 끝나**자마자** 뛰어나갔어요.
- 신제품 노트북이 나오**자마자** 다 팔렸다.
- 고향에 가**자마자** 엄마가 해 주신 음식을 먹고 싶어요.
- 집에 가**자마자** 손부터 씻어요.
- 대학을 졸업하**자마자** 결혼했어요.
- 공항에서 부모님을 보**자마자** 반가워서 눈물이 났어요.
- 집에 도착하**자마자** 샤워를 할 거예요.
- 용돈을 받**자마자** 백화점에 갔어요.
- 날씨가 추워지**자마자** 감기에 걸렸어요.

활용　PRACTICE

가 : 민호 씨, 어제 무슨 일 있었어요? 왜 전화가 안 돼요?

나 : 어제 핸드폰을 샀는데요. 사자마자 떨어뜨려서 수리를 맡겼어요.

가 : 마리 씨, 오자마자 어디 가요?

나 : 화장실 좀 다녀올게요.

-아/어 버리다

의미　MEANING

어떤 행위가 완전히 끝나서
아무것도 남지 않았음을 나타낸다.
'-아/어 버리다'는 어떤 행위가 끝난
결과로 인해 부담을 덜게 되어
시원하거나 아쉬움이 남게
되었음을 나타내기도 한다.

'-아/어 버리다' is used to express
that someone has behaved
perfectly. '-아/어 버리다' also
expresses that a speaker is
relieved or has regret as a result
of how he/she behaved.

예문　EXAMPLE

- 너무 피곤해서 집에 오자마자 **자 버렸어요.**
- 친구가 계속 변명을 해서 화를 **내 버렸어요.**
- 한 시간을 기다렸는데 연락이 없어서 그냥 **와 버렸어요.**
- 더워서 머리를 짧게 잘**라 버렸어요.**
- 바람이 불어서 모자가 날아**가 버렸어요.**
- 친구와 헤어지고 집에 **와 버렸어요.**
- 일 년이 벌써 다 **가 버렸어요.**
- 친구의 비밀을 다른 친구에게 말**해 버렸어요.**
- 생활비를 다 **써 버려서** 당분간 쇼핑을 못 해요.
- 발표 준비를 하다가 잠이 들**어 버렸어요.**

형태　FORM

끝음절 모음이 'ㅏ, ㅗ'인 동사는
'-아 버리다', 그 외의 모음의 동사는
'-어 버리다'를 쓴다.

'-아 버리다' is used when the final
vowel of a verb stem includes
'ㅏ' or 'ㅗ,' otherwise '-어 버리다'
is used.

활용　PRACTICE

가 : 왜 이렇게 늦었어요?

나 : 딴생각을 하다가 버스를 놓쳐 버렸어요.

가 : 어, 빵이 왜 없지?

나 : 미안해. 배가 너무 고파서 내가 다 먹어
　　버렸어.

-았었 / 었었-

의미　MEANING

어떤 상황이 과거에는 있었지만 계속 지속되지 않음을 나타낸다.

'-았었/었었-' expresses that a particular situation happened in the past, but it is now over.

형태　FORM

끝음절 모음이 'ㅏ, ㅗ' 인 동사, 형용사는 '-았었-', 그 외의 모음의 동사, 형용사는 '-었었-'를 쓴다. 명사와 함께 쓰일 때는 받침이 있으면 '-이었었-'을, 받침이 없으면 주로 '-였었-'이라고 쓴다.

'-았었-' is used when the final vowel of a verb stem or an adjective stem includes 'ㅏ' or 'ㅗ,' otherwise '-었었-' is used. When '-았었-' attaches to noun ending with a consonant, it is changed into '-이었었-.' If it attaches to a noun ending with a vowel, it is changed into '-였었-.'

예문　EXAMPLE

- 처음에는 매운 음식을 잘 못 먹**었었**는데 지금은 잘 먹어요.
- 옛날에는 **쌌었**는데 지금은 비싸네요.
- 어렸을 땐 키가 정말 작**았었**는데 고등학생 때 갑자기 커졌어요.
- 어렸을 때는 머리가 짧**았었**는데 지금은 길어요.
- 전에는 자전거를 잘 못 **탔었**는데 요즘은 잘 타요.
- 예전에는 저 산에 나무가 없**었었**는데 지금은 많네요.
- 제가 어렸을 때는 시디플레이어로 음악을 들**었었**는데 지금은 휴대폰으로 들어요.

활용　PRACTICE

가 : 요즘 동생이랑 자주 싸워요.

나 : 저도 예전엔 동생이랑 참 많이 싸웠었는데 요즘은 안 그래요.

가 : 한국어를 참 잘하시네요. 고향에서도 한국어를 배웠어요?

나 : 아니요. 한국에 와서 배웠어요. 처음엔 하나도 못 했었어요.

-(으)ㄹ걸 그랬다

의미 · MEANING

말하는 사람 자신이 하지 않은 일이나 하지 못한 일을 후회하거나 아쉬워할 때 사용한다.

'-(으)ㄹ걸 그랬다' is used to express that a person regrets or feels sorry for what he / she has not done or couldn't do.

예문 · EXAMPLE

- 밥을 먹고 **올걸 그랬어요**.
- 미리 준비**할걸 그랬어요**.
- 저도 같이 여행을 **갈걸 그랬어요**.
- 별일 아니었는데 조금 **참을걸 그랬어요**.
- 공부를 열심히 **할걸 그랬어요**.
- 오늘도 버스를 놓쳤다. 조금 더 빨리 집에서 **나올걸 그랬다**.
- 옷을 조금 덜 사고 돈을 더 아껴 **쓸걸 그랬어요**.
- 자주 만**날걸 그랬어요**.
- 좋은 선물을 사 **줄걸 그랬어요**.

형태 · FORM

받침이 있는 동사는 '-을걸 그랬다', 받침이 없는 동사는 '-ㄹ걸 그랬다'를 쓴다.

'-을걸 그랬다' is used when a verb stem ends with a consonant, and '-ㄹ걸 그랬다' when a verb stem ends with a vowel.

활용 · PRACTICE

가 : 안나 씨, 아까 유진 씨한테 왜 그렇게 말했어요?

나 : 모르겠어요. 한 번 더 생각하고 말할걸 그랬어요.

가 : 배가 너무 고파요. 밥을 좀 더 먹을걸 그랬어요.

나 : 그럼 이 우유라도 마실래요?

-아/어 가지고

의미 MEANING

앞부분의 행위나 상태가 뒤에 오는 행위의 이유임을 나타낼 때 사용한다.

'-아/어 가지고' is used to indicate that the preceding behavior or situation is the reason for the following behavior.

형태 FORM

끝음절 모음이 'ㅏ, ㅗ' 인 동사, 형용사는 '-아 가지고', 그 외의 모음의 동사, 형용사는 '-어 가지고'를 쓴다.

'-아 가지고' is used when the final vowel of a verb stem or an adjective stem includes 'ㅏ' or 'ㅗ,' otherwise '-어 가지고' is used.

예문 EXAMPLE

- 영화를 좋아**해 가지고** 영화 동호회를 만들었어요.
- 오늘 길에 친구를 만**나 가지고** 수업에 좀 늦었어요.
- 옷을 얇게 입**어 가지고** 감기에 걸렸어요.
- 요즘 일이 많**아 가지고** 잠을 못 잤어요.
- 친구랑 싸**워 가지고** 기분이 좀 그래요.
- 요즘 일이 너무 많**아 가지고** 바빠요.
- 친구가 추천**해 가지고** 세종학당에서 공부하게 되었어요.
- 한국 드라마를 좋아**해 가지고** 컴퓨터를 샀어요.
- 테니스를 배우고 싶**어 가지고** 동호회 활동을 시작했어요.

활용 PRACTICE

가 : 많이 피곤해 보이는데 무슨 일 있어?

나 : 요즘 일이 너무 많아 가지고 잠을 못 잤어요.

가 : 오늘 왜 지각했어?

나 : 아침에 자동차 사고가 나 가지고 늦었어.

-는다거나 / ㄴ다거나

의미　MEANING

두 가지 이상의 사실을 나열할 때에
사용한다.

'-는다거나/ㄴ다거나/다거나' is used to
list more than two facts.

형태　FORM

받침이 있는 동사는 '-는다거나',
받침이 없는 동사는 '-ㄴ다거나'를
쓴다. 또 형용사는 '-다거나'를 쓰고,
명사는 '(이)라거나'를 쓴다.

'-는다거나' is used when a verb
stem ends with a consonant, and
'-ㄴ다거나' when a verb stem ends
with a vowel. '-다거나' attaches to
an adjective and '(이)라거나'
attaches to a noun.

예문　EXAMPLE

- 방학에 아르바이트를 **한다거나** 봉사 활동을
  하는 학생도 많아요.
- 시간이 있으면 산책을 **한다거나** 가벼운 운동을
  해요.
- 저는 잠을 푹 **잔다거나** 매운 음식을 먹**는다거나**
  하면 스트레스가 풀리더라고요.
- 우울할 때는 맛있는 음식을 먹**는다거나** 큰
  소리로 노래를 불러요.
- 인터넷으로 산 옷이 안 맞을 때는 교환을
  한다거나 환불해요.
- 모르는 한국어 단어가 있을 때는 사전을
  찾아**본다거나** 친구에게 물어봐요.

활용　PRACTICE

가 : 스트레스 해소에 뭐가 도움이 될까요?

나 : 저는 잠을 푹 잔다거나 매운 음식을
　　먹는다거나 하면 스트레스가 풀리더라고요.

가 : 주말에 보통 뭐 해요?

나 : 산책을 한다거나 가벼운 운동을 해요.

-느라고

의미 MEANING

앞의 행위가 뒤에 나타난 부정적인 결과의 원인이나 이유가 될 때 사용한다. 두 가지 행위는 반드시 같은 시간에 발생한다.

'-느라고' is used when a particular behavior in the preceding clause is a cause or reason for the negative result in the following clause. The two behaviors should occur at the same time.

형태 FORM

동사 뒤에 쓴다.

'-느라고' is combined with a verb.

예문 EXAMPLE

- 어제 책을 읽**느라고** 밤을 새웠다.
- 음악을 듣**느라고** 못 들었어요.
- 밀린 집안일을 하**느라고** 정신없었어요.
- 회의를 준비하**느라고** 보고서를 아직 다 못 끝냈어요.
- 지갑을 집에 두고 와서 집에 다시 갔다 오**느라고** 늦었어요.
- 시험 공부를 하**느라고** 좀 바빠요.
- 회의를 하**느라고** 아직 점심을 못 먹었어요.

활용 PRACTICE

가 : 아까 전화 왜 안 받았어?
나 : 미안해. 자느라고 못 받았어.

가 : 그동안 어떻게 지냈어요?
나 : 유학 준비하느라고 좀 바빴어요.

-기는요

의미 MEANING

앞에 나오는 내용을 가볍게 부정할 때 사용한다. 상대방의 칭찬에 겸손하게 반응할 때 많이 사용한다. 그리고 다른 사람이 나에게 사과나 감사를 표현했을 때, 대답으로 사용하는 경우도 많다.

'-기는요' is used to negate the preceding content lightly. It is also used to react to a compliment with modesty. It is also used to respond to an apology or an appreciation.

형태 FORM

동사, 형용사 뒤에 쓴다.

'-기는요' is combined with a verb or an adjective.

예문 EXAMPLE

- 휴가라서 **좋기는**. 밀린 집안일을 해야 해.
- 한국어를 잘하**기는요**. 아직 멀었어요.
- 책이 무겁**기는요**. 몇 권 되지도 않는데요, 뭐.
- 자주 가**기는요**. 일 년에 한두 번 여행해요.
- 잘 알**기는요**. 그냥 관심이 있을 뿐이에요.
- 발음이 **좋기는요**. 저도 발음이 어려워서 매일 5분씩이라도 연습하려고 노력하고 있어요.
- 운동을 좋아하**기는**. 건강하려고 매일 운동할 뿐이에요.
- 미안하**기는요**.

활용 PRACTICE

가 : 오늘도 학교에 제일 먼저 왔네요. 정말 부지런해요.

나 : 부지런하기는요. 집이 가까워서 일찍 온 건데요, 뭐.

가 : 어제 늦게까지 회의 준비 도와줘서 정말 고마워요.

나 : 고맙기는요. 별로 어려운 일도 아니었는데요.

-는/(으)ㄴ 모양이다

의미 MEANING

어떤 사실이나 상황을 가지고 추측할 때 사용한다.

'-는/(으)ㄴ 모양이다' is used to guess something based on a particular fact or situation.

형태 FORM

현재 상황일 때, 동사는 '-는 모양이다', 받침이 있는 형용사는 '-은 모양이다', 받침이 없는 형용사는 '-ㄴ 모양이다'를 쓴다. 과거 상황일 때, 받침이 있는 동사는 '-은 모양이다', 받침이 없는 동사는 '-ㄴ 모양이다'를 쓴다.

In present tense, '-는 모양이다' is used with a verb stem, '-은 모양이다' with an adjective stem ending with a consonant, and '-ㄴ 모양이다' with an adjective stem ending with a vowel.
In past tense, '-은 모양이다' is used with a verb stem ending with a consonant, and '-ㄴ 모양이다' with a verb stem ending with a vowel.

예문 EXAMPLE

- 주노 씨가 오늘 일이 많은 **모양이에요**.
- 유진 씨가 테니스 대회에서 상을 받았다니 테니스를 잘 치는 **모양이에요**.
- 전화해도 안 받는데 진 씨한테 무슨 일이 생긴 **모양이에요**.
- 신랑이 활짝 웃고 있는 걸 보니 정말 행복한 **모양이에요**.
- 안나 씨가 웃는 걸 보니 화가 풀린 **모양이에요**.
- 마리 씨가 급하게 뛰어가는 걸 보니 수업에 늦은 **모양이다**.
- 조용한 걸 보니까 자는 **모양이다**.

활용 PRACTICE

가 : 주노 씨가 자꾸 웃는 걸 보니 좋은 일이 있는 모양이에요.
나 : 네. 얼마 전에 소개팅을 했는데 좋은 사람을 만났다고 해요.

가 : 과장님이 재민 씨에게 왜 저렇게 화를 내시지?
나 : 재민 씨가 뭔가 크게 실수한 모양이에요.

같이

의미 MEANING

앞에 오는 명사가 보이는 전형적인 특징과 비슷하거나 같음을 나타낼 때 사용한다. '같이'는 '처럼'과 바꿔 쓸 수 있다. 그러나 '불같이 화를 내다', '새처럼 날고 싶다' 등과 같이 비유적인 표현이 굳어져 사용되는 경우에는 '같이'와 '처럼'을 바꾸어 사용하면 어색한 표현이 된다.

'같이' is used when the preceding noun is similar to or identical to the characteristic of the noun to which '같이' is attached. '같이' attaches to a noun and can be used instead of '처럼.' However, in metaphorical expressions such as '불같이 화를 내다' or '새처럼 날고 싶다,' substituting '같이' and '처럼' for each other might sound awkward.

형태 FORM

명사 뒤에 쓴다.

'같이' attaches to the end of a noun.

예문 EXAMPLE

- 마리 씨는 한국 사람**같이** 말을 잘해요.
- 우리 선생님은 친구**같이** 편해요.
- 진짜 가수**같이** 노래를 잘하네요.
- 저는 친구**같이** 편안한 사람이랑 결혼하고 싶어요.
- 얼굴이 진짜 사과**같이** 빨개요.
- 우리 선생님은 바다**같이** 마음이 넓은 분이다.
- 친구들이 우리를 보고 쌍둥이**같이** 닮았다고 해요.
- 우리는 가족**같이** 친하게 지내요.
- 저 그림은 사진**같이** 보여요.

활용 PRACTICE

가 : 따님 결혼 축하드려요. 그런데 오늘같이 좋은 날 왜 우세요?
나 : 그러게요. 기쁜데 자꾸 눈물이 나네요.

가 : 제주도 경치가 어땠어요?
나 : 정말 그림같이 아름다웠어요.

-던데요

의미 MEANING

과거에 직접 경험한 어떤 장면을 떠올리면서 그때 느낀 사실을 감탄하듯이 말할 때 사용한다.

'-던데요' is used when a person tells something with admiration recalling particular scenes he / she has experienced in the past.

형태 FORM

동사, 형용사 뒤에 쓴다.

'-던데요' is combined with a verb or an adjective.

예문 EXAMPLE

- 안나 씨는 한복이 잘 어울리**던데요**.
- 유진 씨는 수업이 끝나자마자 집에 가**던데요**.
- 김밥을 처음 만들었는데 만드는 것이 쉽**던데요**.
- 아까부터 계속 밖에서 통화를 하**던데요**.
- 무슨 일이 있는지 급하게 뛰어 가**던데요**.
- 한국어능력시험에 합격했는지 웃으면서 집에 가**던데요**.
- 연휴 첫날부터 차가 정말 많이 밀리**던데요**.
- 주노 씨가 요리를 정말 잘하**던데요**.
- 재민 씨가 운동을 정말 좋아하**던데요**.
- 우리 선생님이 노래를 정말 잘하**던데요**.

활용 PRACTICE

가 : 설날에 떡국 많이 먹었어요?

나 : 네. 많이 먹었어요. 정말 맛있던데요.

가 : 이 영화 봤어요? 주말에 보러 가려고 하는데.

나 : 네. 봤어요. 좀 무섭기는 했지만 재미있던데요.

-았더니 / 었더니

의미 MEANING

앞 절에서 한 행동에 대한 반응을 나타낼 때 사용한다.

'-았더니/었더니' is used to express a response to the behavior in the preceding clause.

형태 FORM

끝음절 모음이 'ㅏ, ㅗ'인 동사는 '-았더니', 그 외의 모음의 동사는 '-었더니'를 쓴다.

When the final vowel of a verb stem includes 'ㅏ' or 'ㅗ,' '-았더니' is used, otherwise '-었더니' is used.

예문 EXAMPLE

- 제가 그 이야기를 **했더니** 모두 놀랐어요.
- 할아버지께 세배를 **드렸더니** 세뱃돈을 많이 주셨어요.
- 배가 고파서 밥을 많이 먹**었더니** 소화가 안 되네요.
- 고향에 갈 때 운전을 하고 **갔더니** 좀 피곤하네요.
- 사무실에 전화를 **했더니** 금요일까지 신청해야 한다고 해요.
- 신경을 **썼더니** 머리가 많이 아프네요.
- 매일 두 시간씩 연습**했더니** 한국어 말하기 실력이 늘었어요.

활용 PRACTICE

가 : 유진 씨, 한복이 참 잘 어울려요.

나 : 고마워요. 친구 집에도 한복을 입고 갔더니 모두 멋있다고 했어요.

가 : 유미한테 무슨 일 있어? 주말 잘 보냈냐고 물었더니 아무 말도 안 하더라고.

나 : 글쎄, 나도 잘 모르겠어.

-아/어 가다

의미 MEANING

어떤 동작이나 행위가 계속 변화하거나 진행되어 감을 나타낸다.

'-아/어 가다' expresses that a particular action or behavior is continued or changed continuously.

형태 FORM

끝음절 모음이 'ㅏ, ㅗ'인 동사, 형용사는 '-아 가다', 그 외의 모음의 동사, 형용사는 '-어 가다'를 쓴다.

When the final vowel of a verb stem or an adjective stem includes 'ㅏ' or 'ㅗ,' '-아 가다' is used, otherwise '-어 가다' is used.

예문 EXAMPLE

- 조금만 기다려. 밥을 거의 다 먹**어 가**.
- 조금만 더 하면 돼. 거의 다 끝**나 가**.
- 오래 만나다 보니까 점점 닮**아 가는 것 같아**.
- 한국어를 공부한 지 벌써 2년이 다 되**어 가요**.
- 지난번에 빌려 온 책을 거의 다 읽**어 가요**.
- 세종학당 이번 학기가 거의 끝**나 가요**.
- 대학 생활이 거의 끝**나 가서** 아쉬워요.
- 친구와 만날 때가 다 되**어 가서** 기뻐요.
- 휴가가 끝**나 가서** 슬퍼요.

활용 PRACTICE

가 : 한국 회사에서 일한 지 얼마나 되셨어요?

나 : 벌써 3년이 되어 가네요.

가 : 아직 일 다 못 했어? 나 먼저 갈까?

나 : 거의 다 끝나 가니까 조금만 기다려 줘.

-아/어 두다

의미 MEANING

어떤 행위의 결과가 그대로 유지되고 있음을 나타낸다. 또한 다른 행위를 대비하기 위해 어떤 행위를 할 때 사용한다.

'-아/어 두다' expresses that the result of a particular behavior maintains. It is also used to do something to prepare for other behaviors.

형태 FORM

끝음절 모음이 'ㅏ,ㅗ'인 동사는 '-아 두다', 그 외의 모음의 동사는 '-어 두다'를 쓴다.

When the final vowel of a verb stem includes 'ㅏ' or 'ㅗ,' '-아 두다' is used, otherwise '-어 두다' is used.

예문 EXAMPLE

- 회의가 길어질 것 같으니까 책상 위에 음료수를 **놓아 두세요**.
- 휴가 기간이라 비행기표 구하는 게 힘들 것 같아서 지난달에 미리 예매**해 두었어요**.
- 그 병원은 항상 사람들이 많아서 미리 예약**해 두었어요**.
- 주말에 친구들이 오니까 미리 청소**해 두었어요**.
- 수학여행을 가는데 차멀미가 심해서 멀미약을 미리 먹**어 두었어요**.
- 여행을 가려면 미리 돈을 환전**해 두어야 해요**.
- 열쇠를 책상 위에 놓**아 두었다**.

활용 PRACTICE

가 : 오늘 시험이 있어서 밥을 잘 못 먹겠어.

나 : 그러면 안 돼. 힘을 내려면 밥을 잘 먹어 둬야 해.

가 : 도서관 회의실을 이용하려면 어떻게 해야 돼요?

나 : 일주일 전에 미리 예약해 두면 돼요.

-기는 하다

의미 MEANING

상대방의 의견에 일부 긍정하지만 가볍게 부정하며 다른 의견을 제시할 때 사용한다.

'-기는 하다' is used to suggest a different opinion when a person agrees with the other person partially but denies it slightly at the same time.

형태 FORM

동사와 형용사 뒤에 쓴다.

'-기는 하다' is combined with a verb or an adjective.

예문 EXAMPLE

- 기숙사 방이 좁**기는 한데** 필요한 것들이 다 있어서 살기 편해요.
- 한국어를 열심히 배우고 있**기는 하지만** 아직 많이 부족한걸요.
- 준비하고 있**기는 하지만** 걱정되는 일이 많아.
- 매운 음식을 좋아하**기는 하지만** 오늘은 속이 안 좋아서 다른 걸 먹고 싶어.
- 영화가 슬프**기는 했지만** 울 정도는 아니었어.
- 약을 먹**기는 했는데** 아직도 조금 아프네요.
- 봉사 활동이 좀 힘들**기는 했는데** 뿌듯하고 기분이 좋았어요.

활용 PRACTICE

가 : 한국 유학 준비는 잘 되고 있어?

나 : 준비하고 있기는 하지만 걱정되는 일이 많아.

가 : 미나 씨, 비자 받았어요?

나 : 비자 발급 신청을 하기는 했는데 시간이 좀 걸릴 것 같아요.

-는 중이다

의미 MEANING

어떤 일이 진행되고 있음을 나타낼 때 사용한다.

'-는 중이다' is used to express that something is in progress.

형태 FORM

동사 뒤에 쓴다. 이야기를 할 때 '(명사) 중이다'를 활용해서 간단하게 말할 수도 있다.

'-는 중이다' is combined with a verb. It can also be simplified to '(noun) 중이다' in conversation.

예문 EXAMPLE

- 말하기 대회에서 1등을 하면 한국에 갈 수 있다고 해서 다들 연습하**는 중이에요**.
- 빨리 취업을 하고 싶어서 요즘 일자리를 알아보**는 중이에요**.
- 음식이 너무 뜨거워서 조금 식을 때까지 기다리**는 중이에요**.
- 저녁에 손님들이 온다고 해서 지금 청소하**는 중이야**.
- 이번 휴가 때 가고 싶은 곳이 많아서 아직 고민하**는 중이야**.
- 어떤 학교로 유학을 갈지 고민하**는 중이야**.
- 한국에서 지낼 집을 알아보고 있**는 중이야**.

활용 PRACTICE

가 : 엘리베이터를 아직 타면 안 되나요?

나 : 네. 아직 고치는 중이에요.

가 : 졸업하려면 준비해야 할 것들이 많지요?

나 : 맞아요. 그래서 하나씩 준비하는 중이에요.

부록

1부. 어휘와 표현

2부. 문법

※ 이 교재는 산돌폰트 외 Ryu 고운
한글돋움OTF, Ryu 고운한글바탕OTF
등을 사용하여 제작되었습니다. Ryu
고운한글돋움OTF, Ryu 고운한글바탕
OTF 서체는 서체 디자이너 류양희 님
에게서 제공 받았습니다.

메모

메모

세종한국어 | 어휘·표현과 문법 3B

문화체육관광부
국립국어원

(07511) 서울 강서구 금낭화로 154
전화: +82(0)2-2669-9775
전송: +82(0)2-2669-9747
홈페이지 http://www.korean.go.kr

기획·담당	박미영	국립국어원 학예연구사
	조 은	국립국어원 학예연구사
책임 집필	이정희	경희대학교 국제교육원 교수
공동 집필	박진욱	대구가톨릭대학교 한국어문학과 조교수
	손혜진	고려대학교 국제한국언어문화연구소 연구교수
	김윤경	부산외국어대학교 한국어문화교육원 교사
	이정윤	계명대학교 국제사업센터 한국어학당 강사
집필 보조	고정대	대구가톨릭대학교 국어국문학과 박사과정
	심지연	고려대학교 교양교육원 초빙교수
	정성호	경희대학교 국어국문학과 박사수료
	서유리	경희대학교 국어국문학과 박사과정
번역 감수	변우영	오하이오주립대학교 동아시아어문학과 부교수

초판 1쇄 인쇄   2022년 8월 15일
초판 1쇄 발행   2022년 9월 1일

ISBN 978-89-97134-43-4 (14710)
ISBN 978-89-97134-21-2 (세트)

출판·유통   공앤박 주식회사(www.kongnpark.com)
(05116) 서울시 광진구 광나루로56길 85, 프라임센터 1518호
전화: +82(0)2-565-1531
전송: +82(0)2-3445-1080
전자우편: info@kongnpark.com

총괄 | 공경용
책임 편집 | 이유진, 이진덕, 여인영
영문 편집 | 성수정, Kassandra Lefrancois-Brossard
아트디렉팅 | 오진경
디자인 | 이종우, 서은아, 이승희
제작 | 공일석, 최진호
IT 지원 | 손대철, 김세훈
마케팅 | Sung A. Jung, Paulina Zolta, 윤성호

Sejong Korean
VOCABULARY & GRAMMAR BOOK

3B

문화체육관광부
국립국어원

KONG & PARK   www.kongnpark.com

값 4,000원

ISBN 978-89-97134-43-4
ISBN 978-89-97134-21-2 (세트)

King Sejong Institute

Vocabulary & Grammar Book

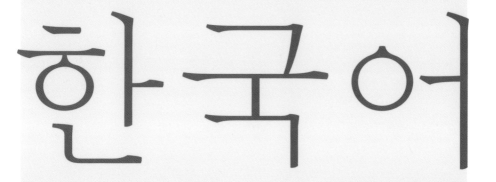

어휘·표현과 문법

4A

문화체육관광부
국립국어원